KB075965

꿈뜰愛

매월 마지막 3번째 수요일

꿈뜰 도서관에서

꿈뜰愛, 책을 만나다, 사람을 만나다.

꿈뜰애

발   행 | 2024년 3월 18일
저   자 | 수원곡정초등학교학부모독서모임
펴낸이 | 한건희
펴낸곳 | 주식회사 부크크
출판사등록 | 2014.07.15.(제2014-16호)
주   소 | 서울특별시 금천구 가산디지털1로 119 SK트윈타워 A동 305호
전   화 | 1670-8316
이메일 | info@bookk.co.kr

ISBN | 979-11-410-7666-5

www.bookk.co.kr
ⓒ 수원곡정초등학교학부모독서모임 2024

차례

편집자 인사

편집자 인사

"인생에서 이런 모임도 했었다."는 것을
기억하고 싶었습니다.
매달 공들여 준비하는 손길들로
모임이 풍성히 채워져 갔습니다.

일부러 시간을 내고,
시간을 지켜 모임에 참석하고,
생각을 마주하며 웃었던 그 순간들을
가볍게 지우기 싫어, 책으로 남겨보았습니다.

책에는 담지 못한 "당신"의 잔상이 참 좋습니다.

모임을 함께 한,
이 책을 함께 나눌 수 있는 당신에게
참 감사합니다.

모임을 시작할 수 있는 용기를 주신
정갑수 교장선생님께 감사드립니다.

제1장 모임을 시작하다.

<룰루혜림>

그랬다. 무려 5,000년 전, 인류 최초의 신화라고 일컬어지는 길가메시의 운명도 호기심으로 시작되었다. 그의 불멸의 연인(?)인지 친구인지 형제인지 모를 존재, 엔키두를 만난 게 된 것은 서로를 향한 알 수 없는 끌림과 호기심이었다. 그리고 그 만남으로 시작된 놀라운 이야기가 5,000년이 지난 우리에게 점토판 쐐기문자로 전해졌고, 수천년 전의 점토판에 적힌 비밀을 알고 싶은 호기심 많은 인간들의 지난한 노력으로 우리는 <길가메시 서사시>를 읽을 수 있게 되었다.

그리스 신화의 주인공들도 다르지 않았다. 판도라도 호기심 때문에 제우스가 맡긴 상자를 열어 버렸고, 프시케도 남편의 얼굴을 확인하고자 하는 그 호기심을 이기지 못하고 밤에 등불을 켜서 에로스를 떠나게 만들었다. 그리고 떠난 에로스의 사랑을 되찾기 위해 지하세계에 내려가서 지하세계의 왕비 페르세포네의 아름다움이 담긴 상자를 가져 와야 하는 고난도 이겨냈지만, 한낱 호기심을 결국 또 이기지 못하고 상자를 열어버려 지옥의 잠에 빠져버리고 만다. 우리가 알고 있는 고대 신화의 주인공들은 모두 인간의 가장 원초적인 본능 중 하나라고 할 수 있는 '호기심' 때문에 모두 새로운 삶의 여정을 시작하기도 하고, 새로운 운명을 만나기도 한다.

나 또한 아이의 학교 도서관에서 시작된 이 독서모임에 참여한 것은 그냥 단순한 '호기심'에서 였다. <책 읽어주는 학부모회> 마지막 모임에 참석한 후 그냥 일어나 집에 가려는데, 독서모임에 참석하실 어머니들은 옆방으로 오라고 하기에 저 방에서 엄마들이 어떤 모임을 하려나 궁금해서, 그 '호기심' 때문에 옆방으로 잠깐 건너간 것이 시작이었다. 그리고 그렇게 나도 길가메시, 판도라, 프시케가 호기심으로 새로운 운명을 맞이한 것처럼, 14권의 책과 함께 하는 14개월간의 새로운 여정을 떠나게 되었다.

: 저는 인생을 쓸데없이 너무 진지하게 사는 것 같아 고민이었어요. 바람처럼 자유롭게 살고 싶다는 생각을 최근에 많이 하고 있었는데, 그 소망을 "룰루랄라" 라는 의태어에 담아 표현해 봤습니다.

'책'

이 지적이고도 교양 넘치는 단어를 대신할 만한 것이 있을까?

부모가 되고 나니 어린 시절 부모님이 회식 날 집요하게 술을 권하던 상사 이상으로 그렇게나 책을 권하셨는지 알게 되었다.

아이를 낳고부터 아이로 인해 알게 된 사람들의 집에 방문할 때면 무거운 책장이 먼저 눈에 띄었다.

"어느 집의 누가 역사책에 빠졌다더라" "누구 누구는 책을 읽는 것을 무척 좋아한다더라." 는 등의 이야기는 우리 집 아이가 아니더라도 너무나도 대견스럽고 큰 부러움이 되었다.

그렇게 나는 '책' 이라는 것에 관심이 있었나 보다.

어린 시절 아버지를 따라 서점과 헌책방을 가서 맡는 그 '책 냄새'는 지금도 생각이 날 만큼 기분 좋은 향기이다. 책을 읽을 때면 재미있기도 했지만 대견스러워하던 부모님의 칭찬이 좋았다. 인정욕구를 갈망하던, 막내가 아들인 1남 2녀의 둘째 딸로 태어난 나는 후자의 이유로 책을 즐겼다. 그렇게 읽다 보니 책을 좋아하게 되었고 학교에서 소외감이 느껴지는 날도 회사에서 스트레스가 큰 날도 간단히 책을 읽는 것으로 좋지 않은 기분을 해소할 수 있었다.

그런 책은 이 '책' 이라는 것과 연관된 것에는 시간도 마음도 너

그렇게 만들어 주었다.

아이가 초등학교에 들어가니 학교에 뭐든 참가하고 싶던 1학년 엄마는 '책사랑어머니'라는 곳에 봉사하게 되었고 그 아이가 6학년이 되었어도 이 봉사는 나를 위해 지금도 유지하게 되었다. '책 읽어주는 어머니'라는 것이 있다 해서 아이가 초등학교 입학하기 전 어린이집을 다닐 때 책 읽기 수업을 듣고 민간 자격증까지 따서는 당당히 학교에 책을 읽어주러 가던 때를 생각하면 열정 엄마가 따로 없었다.

그랬던 학교에 새로운 책에 대한 모임이 생긴단다.

'학부모의 책 읽는 모임'

책 모임을 가져본 적이 없는 나는 무엇을 읽는지도 모르고 잘 아는 사람도 없는데 덜컥 모임에 신청하고 말았다. 사실 요즘 책도 안 읽고 있는데 말이다. 그렇게 뭘 어떻게 하는지도 모르고 참가한 '꿈뜰애'

다른 사람의 이야기를 듣는 것, 나의 이야기를 하는 것, 결혼을 하고 비슷한 또래의 아이가 있는 사람들과 한가지 책을 가지고 이야기를 나누는 것, 무심결의 웃음도, 눈물도 모두 허락되는 곳!

너무 재미있다.

이런 재미 왜 이제서야 알게 된 걸까?

셋째주

수요일

꿈뜰애

이번 달도 기다려진다.

: 반듯한 첫째 애칭 **반들이**. 야무진 둘째 애칭 **야무지**. 그들이 훨훨 날길 바라는 엄마 마음 **나리**

<회원명: 박카스>

모임을 시작하며,
 어린 시절 내게 책은 참 어려운 과제 같은 것이었다.
 만화책이라도 좀 읽으라던 엄마의 잔소리를 들은 채도 하지 않
던 나는 고3이 되어 공부가 너무 하기 싫은 나머지 회피 수단으
로 책을 읽기 시작했다. 소설, 만화, 무협지까지 장르 가리지 않고
푹 빠져서 고3수험 시절을 보내 버렸다. 독서가 필수가 아닌 선
택이 되자 편안해졌고 나의 취미가 되어주었지만 여전히 숙제로
만나는 독서는 어렵고 또 피하고 싶어진다.
 독서모임 또한 그런 숙제 중 하나였다. 모임에 참여할 좋은 기
회들이 많았고 하고 싶다는 생각도 있었지만, 숙제로 주어지는 독
서를 과연 내가 얼마나 잘해 나갈 수 있을까 하는 두려움이 더욱
컸다.

내게는 세 명의 아이가 있다. "어머!! 힘드시겠어요!"가 나를 보는 사람들의 첫마디이다. '아롱이 다롱이'라고 참 제각각 다른 생각과 성향을 가진 아이들인데 다행히 나를 힘들게 하는 아이들은 아니다. 내가 워낙 긍정적이라 그게 힘들지 않게 느껴질 수도 있지만 아이들은 내게 많은 활력을 주고 오히려 내가 의지하는 울타리 같은 존재이다.

'책 읽어주는 학부모회'에 선뜻 나서지 못하는 내게 아이들은 '엄마가 최고다.', '엄마는 책을 정말 잘 읽어줘서 꼭 해야 한다.'며 등 떠밀다시피 하여 나를 학교로 불러내 주었다.
학교 도서관 봉사를 하다 엄마들을 위한 독서 모임을 시작한다는 소식을 듣고도 여러 번 망설이던 나를 끄집어 내어 준 건 아이들의 응원 덕분이었다. 고민에 고민을 더하다 시작하게 되었지만, 책을, 나를, 그리고 삶을 이야기하다 보니 두려움보다는 기분 좋은 설렘이 다음 모임을 기다려지게 한다.
내일은 또 어떤 이야기들을 나누게 될까? ^^

: 바로 그 에너지 드링크! 늘 에너지가 가득 찬 나였으면 하는 바램과 다른 사람들에게도 활력을 줄 수 있는 내가 되었으면 하는 바램입니다.

<회원명: 연두피어나>

장대비 내리는 날 멍하니 우시장천을 보았다. 물살은 평소보다 빠르고 거침없이 떠내려가는 것들이 보인다. 앙증맞은 개구리밥은 흐드러지게 핀 벚꽃이 바람에 떨어지듯 모임의 크기와 상관없이 물살 따라 떠내려간다. 부평초의 삶이 저런 것인가?

연꽃을 좋아한다. 크고 반질반질한 초록 연잎 사이에 앉아 있는 연꽃은 꼭 '나'인 것 같다. 심청이처럼 효심이 극진하거나 진흙탕에서 꽃을 피우며 흙탕물이 묻지 않는다는 특성의 의미로 나와 같음을 얘기하지 않는다.

내 성격은 백 조각으로 갈라져 있다. 연꽃잎처럼 말이다. 연꽃에게 연근이 있듯이 여러 갈래의 나를 굳게 지탱해 주고 있는 것이 있다. 앤, 제임시나 아주머니, 조르바는 나를 장대비 내리는 날 물살 따라 떠내려가는 부평초로 두지 않았다.

꿈뜰愛.

백 조각의 성격이 어쩌면 '꼰대 피어나'의 방향을 잡아 그 방향으로 발전하게 될 무렵일까.? 어쩌다 들어선 길에서 '꼰대 벗어나'를 맛보고 있다. 아! 얼마나 건강하고 배부른 맛인지 알아버렸다. 『하얀 토끼를 따라가라』의 발제문 중 '나는 죽음에 대해 어떤 태도를 취하고 있는가?'라는 질문이 있었다. 내 고립된 생각에서 죽음은 가족에게 더 사랑하고 해줄 수 있는데 못해준다는 슬픔과 그로 인한 고통이 먼저 떠올랐다. 그 생각이 차오르고 어떤 생각도 하고 싶지 않았다. 하지만 꿈뜰애는 빨주노초파남보의 맛을 보여줬다. 양분을 받았다. 더 사랑해 줄 미래가 있든 없든 지금 바로 오늘도 충만히 사랑하리다.

한적한 시골, 고목 아래 평상이 자리 잡고 그곳에서 두런두런 이야기꽃이 핀다.

매달 셋째 주 수요일, 고목 같은 꿈뜰애 품에서 우리는 양분을 주고받았다. 공자님은 사십이불혹, 오십이지천명이라고 했던가. 그 사이에 있는 '피어나'는 걱정할 것 없다. 나의 백 갈래 연꽃은 고목 덕분에 튼실한 연근을 만들고 장대비 내리는 날에 부평초의 안녕한 삶을 응원해 주며 이웃과 피어나에 대한 의무을 다하고 재미나게 지내고 있다. 고목 꿈뜰애는 내 인생관에 고문이 되었다.

<에필로그>

그 어떤 좋은 말과 있어 보이는 말을 붙여야 꿈뜰애의 에너지, 이미지를 표현할 수 있을까 궁리했다. 마감 시간에 쫓기는 기분이 이런 것인가? 그러나 걱정하지 않는다. 고목 꿈뜰애의 존재만으로도 난 이미 충만하고 평안한 상태이다. 곁에 있어줘서 감사하다.

18

연두피어나

: 겨울 눈을 뚫고 피어나는 영롱한 빛깔의 연두 나뭇잎처럼 피어남. 슈렉을 아시나요! 그의 연인 피오나 공주가 있습니다. 그녀는 여느 디즈니 공주들과 다르게 초록 드레스를 입고, 덤벼오는 로빈후드 일당을 격투기와 긴 머리카락으로 후려치며 제압하는 등 범상치 않은 모습으로 나를 매혹시켰습니다. '피오나' 중 한 음절 살짝 바꿔봤습니다. '피어나'로 ……. 그랬더니 즐거운 일이 생겼습니다. 피어나의 관점으로 세상을 바라봅니다.

<회원명: 호시>

 처음 독서 모임을 한다는 이야기를 듣고는 깊게 생각 안하고 최근 독서량이 아주 적으니 모임을 하면 '강제로라도 한달에 책 한 권은 읽게 되겠구나.' 하는 마음 편한 생각으로 제 스스로에게 반 강제적 숙제를 주기 위해 참여 의사를 밝혔습니다.
 막상 첫 모임 후, 본격적이고 전문가적인 독서토론이 가능하실 것 같은 포스를 내뿜으시는 회원분들을 보고 '내가 있을 곳이 아닌 것 같다'는 생각에 잠시 탈주를 꿈꾸었어요.
 그러나 대문자 I의 특성인지 P의 특성인지 어영부영 시간이 흐르고 모임이 다가오니 '우선 책부터 사야겠다.' 해서 사 본 책은 왜 이렇게 또 어려운지..
 읽다 덮다 반복하다가 '이게 맞는 건가?' 하면서 또 그렇게 완독했던 기억이 있네요. (물론 발제문이 나오면 해당 페이지 찾아서 다시 읽었다는 건 안비밀~ 저만 그런 건 아니죠?)

 저는 나름 조용하게 혼자서 무엇인가를 읽는 행위를 좋아한다고 생각하고 지낸 몇 십년인데, 이 모임을 통해서 제가 이해하고 받아들인 것과는 다르거나, 비슷하거나 혹은 전혀 색다른 관점의 이야기들을 들을 수 있다는 게 재미있고 신난다는 사실을 알게 되었어요.

앞서도 말했듯 반강제적 숙제도 주고 기한을 둬야 그나마 미루다 완결을 내는 상황이 많았어요. 영화나 소설을 볼 때도 결말을 알고 봐도 재밌고 평론가 글을 참고해서 받아들이기도 하는 수동적인 사람이라 "왜"라던가 "나라면"이라던가 하는 생각을 그다지 해 본 적 없이 매체를 받아들이기만 하면서 즐겨왔던 것 같아요.

그런데 발제문을 보고 답변을 간략하게 적으면서도 발표(단상 앞에 서서하는 것 만큼의 압도감이 있습니다;;)하는 상상을 하면, 답이 없는 문제임에도 "맞게 쓴 걸까?" 고민을 하고 다른 분들 대답이 궁금하고 기대가 되고 기다려지는 게 즐겁더라고요.

내년에도 이 모임에 참여할 수 있을지 모르겠지만, 하게 된다면 중간중간 쉬어가는 타임으로 (재밌지만 아직은 숙제인 도서 목록이 아닌) -온전히 '제 취향'의 소설들을 읽으면서 내년 모임에 추천해보고 싶다라든가, 이 책은 이런 발제문으로 다른 분들 생각을 들어보고 싶다라든가.- 이런 생각을 하는 저를 발견하면서 일보는 전진한 걸까 싶기도 해 신기했었습니다.

아직 계획된 목록 반을 조금 넘어서 가는 모임이지만 다양한 주제와 형태의 글을 읽어볼 수 있어서 어렵기도 했지만 좋았어요. 혼자하는 독서로는 아마 꺼내 들지 않았을 책들도 있었기에 제가 모임에 참여하며 도전하고자 했던 것은 성공이라고 생각하니 뿌듯합니다^-^*

이제는 또 한 번의 전진을 위해 남은 책들은 숙제 기한보다 앞서 끝내보는 것에 도전을 해볼까 합니다. 평생 습관이 익숙해서 될까 싶지만 동기 부여가 될 것 같아요.

호시

: 별이라는 뜻의 일본어. 밤하늘에서 반짝이는 별을 보면 설레듯 만나면 반가운 사람이 되고 싶다는 이유를 만들었지만, 실은 어렸을 때 한창 일본소설, 드라마, 음악에 빠져 있었을 때 여기 저기에 사용했던 닉네임.

〈회원명: 고뚤〉

나는 말을 잘못한다. 예전에도 그랬고 지금도 그렇다.
남들은 잘 만 하던데······.
그래서인지 말보다 글이 더 편했다. 글은 고칠 수 있으니까.

항상 뇌를 거치지 않고 정제되지 않은 말들을 쏟아내는 나의 주둥이가 원망스러울 때가 한 두번이 아니었다. 그렇게 글과 친해졌던 것 같다. 그래서 그런지 예전부터 글쓰기는 별로 어렵지 않았다. 지금에서야 생각하면 조금 부끄러운 과거지만 고등학교 때는 나름 팬픽도 연재했었다. 대학 때는 친구의 레포트도 종종 대신 써주곤 했다.

나는 책이 좋다.

종이가 주는 그 아날로그 감성이 좋다.
독서도 좋다. 영화보다 시각적인 자극은 덜하지만 나의 끝없는 상상으로 글의 장면들을 확장해나가는 그 과정이 좋다.

그렇게 좋아하던 독서인데 아이들 낳고는 내 삶이 송두리째 변했다. 변명이겠지만 사는 게 바빠서, 또는 시간이 없어서 좋아하는 만큼의 많은 책을 읽지는 못했다. 그래서인지 책에 대한 갈증이 내 속에 있었던 것 같다.

어느 날, 아이의 초등학교에서 독서회를 모집한다는 이야기를 들었다. 그 당시에는 '해봐야지'란 생각은 딱히 없었다. 그런데 써니혜원님이 가서 이야기나 들어보자고 해서 별 생각없이 갔던 도서실. 이미 여러 명이 착석해있었다. 잠시 후 테이블 위로 이름과 전화번호가 적힌 종이 한 장이 전달되었다. 남들 다 적었기에 나도 별 생각없이 끄적였다.

그 후 단톡에 초대되고 카페에 초대되고 '꿈뜰애 독서회'가 만들어졌다.

'나는 아직 마음의 준비가 안됐는데…….'

내 의지와는 상관없이 일사천리로 일이 진행되었다. 마치 상견례 후 일사천리로 진행되었던 결혼식처럼……. 나는 그냥 이럴 운명인가 보다. "저 그냥 안하겠습니다!" 라고 말하는 건 파워 I에게는 너무나도 어려운 일.

그렇게 독서회에 발을 들여놓게 되었다. 다들 눈빛이 너무 초롱초롱하다. 다들 설레고 기대된다는데……. 나는 부담스럽다.

하지만 걱정보다 호기심이 더 큰 걸 왜일까?

고
똘

: 고등학교 때 친구들이 지어준 별명을 별 거 부감없이 계속 씀. AB형이고 독특할 때가 있어서 돌+아이라고 지어줌. 성인이 되고 뜻을 묻는 질문을 종종 받아서 창피할 때가 있음.(조만간 바꿔야…….)

<회원명: 진지혜>

　독서토론 모임이 열린다는 소식을 듣고 '꾸준한 독서'와 '책 읽는 엄마의 모습'을 아이들에게 보여주고 싶은 욕심에 참여를 하고 싶다가도 1년에 단 한 권의 책도 제대로 읽지 않는 내가 과연 할 수 있을까 싶어 참여를 망설이고 있을 때 친구가 자신 이야기를 들려주었다.

친구는 아이를 키우면서 부쩍 떨어진 체력 회복을 위해 작년 한 해 목표를 '등산'으로 정하고 마음 맞는 이웃과 함께 매일 산에 올랐다고 한다. 그러던 어느 날 상대방의 사정을 고려하거나 자신의 사정을 설명하는 등 매번 시간을 조율해서 산에 오르는 것이 효율적이지 못하다는 생각이 들었고, 양해를 구하고 편한 시간에 혼자서 산에 올라가게 된다.
　분명 같이 갈 때는 금방 올랐던 뒷산이 혼자서 오르니 너무 높게 느껴졌고 힘이 들어 결국 정상까지 가지도 못하고 내려오게 되었다고 한다. 친구는 이 경험을 통해 서로 시간을 맞추는 과정이 효율적이지 못한 게 아니라 목표를 향해 꾸준히, 더 멀리 가기 위한 것임을, 즉 '같이의 가치'를 깨닫게 되었다고 했다.

친구의 이야기를 듣고 욕심과 용기를 내어 독서모임 참여를 결정하게 되었다. 혼자라면 아마 올해도 생각만 하고 말았을 한 달에 한 권 책 읽기가 수요꿈뜰愛 회원님들과 함께하니 가능하다는 게 여전히 신기하다.

아직 독서가 재밌거나 하지는 않지만 여러 분야의 책들을 읽으며 지식을 쌓거나 생각의 폭을 넓혀가는 것이 흥미롭다.

또 논제에 대한 답을 준비하면서 그동안 생각하지 않았던 부분들에 대해 깊이 있게 생각해 보는 시간이 의미 있고, 같은 글에 대한 다양한 의견을 들으며 사고가 확장되기도 한다. 그리고 무엇보다 매달 셋째 주 수요일이 기다려진다.

이 지면을 빌어 모임을 제안해 주신 교장 선생님과 함께 읽고 토론하는 수요꿈뜰愛 멤버들 그리고 자신의 이야기를 들려준 친구, 모두에게 감사의 인사를 전한다.

: 진지한 지혜.
　독서할 때만큼은 진지한 지혜가 되어보겠
다는 굳은 의지

<회원명: 쌈바>

#쌈바

결혼 계획이 없었고 아이를 낳을 생각을 한 번도 해보지 않았던 엉뚱발랄人은, 늘 당신이 있기에 삶이 더 행복해질 수 있다고 말해 주는 남편과 매일 행복해서 내일이 기다려진다는 아들과 함께 '얼마 동안만 잠시 머물러볼까?' 생각했던 곳에서 9년째 많은 소중한 인연을 맺으며 살고 있습니다.

그리고 어린 시절 엄마를 따라 다니던 봉사활동을, 엄마가 된 지금은 아이가 너무나 소중하게 생각하는 <곡정초등학교>에서 함께 하고 있습니다.

인생에서 한 번씩은 찾아오는, 계획하지 않았던 상황과 우연은 성장통처럼 저를 자라게 해주었다는 생각이 듭니다.

그 우연 중 하나인 <꿈뜰애> 독서 모임은 개성 있는 독서 메이트들을 얻게 되고, 누군가 보물찾기로 저와 아이의 마음을 만져주는 큰 감동을 주기도 했고, 옆집에 사는 이웃과 인사를 나누게 해주기도 했고, 솔직한 이야기들로 큰 웃음과 뜨거운 공감을 나누게도 해주었습니다.

언뜻 보면 별 것 아니지만, 사실은 특별한 모임! 시작하길 정말 잘했어요!

#쌈바 아들

우리 엄마는 책을 좋아한다.

근데 어떤 일을 하다가 읽고 있던 책이 보여서 읽어버리면 그만, 하던 일을 까먹고 만다.

그런데 그때 엄마의 말투가 재미있다.

“아, 맞다! 이걸 안 했네. 이것부터 하고 봐야지.”

할 일이 많은데 읽고 싶은 책도 많은 엄마는 집에서도 바쁘다.

책을 읽다가도 어디론가 사라져있고, 일을 하다가도 책을 읽고 있다.

나도 그럴 때가 많아서 엄마를 이해할 수 있고, 우리가 많이 닮았다고 생각한다.

난 그런 우리 엄마가 좋다.

일을 할 때는 불타오르는 화덕 같이 일하고, 나랑 놀 때는 시원시원하게 냉장고처럼 놀아주고, 책을 읽을 때는 오븐처럼 조용하지만 뜨겁게 책을 읽는 엄마가 나는 정말 좋다.

#쌈바 남편

 이번 달의 할 일이라며 꾸준히 책을 읽고 있지만 어쩔 땐 졸고, 어쩔 땐 읽었던 책인데 왜 기억이 나지 않냐며 푸념을 하지만 그래도 손에서 책을 놓지 않고 끝까지 읽는 당신을 자랑스럽……아니, 응원합니다.

: (SSAM BAR) 3단지 3층에 사는 3명을 위한 bar,
　작은 공간에서 서로의 일상을 나누고 즐기는데 우리 가족
시그니처. 부르는 사람, 듣는 사람도 신나죠!

<회원명: 써니혜원>

SUNNY.H

  일이 없는 날이면 나는 아이가 등교하는 길에 함께 집에서 나와 늘 가던 한적하고 아늑한 카페에 가곤 한다. 커피 한 모금씩 홀짝이며 창가에 앉아 책을 읽노라면 잠시나마 매일 반복되는 일상의 고단함을 잊을 수 있는 소소한 행복을 느낄 수 있는 시간이다.

  어느덧 아침저녁 찬바람에 옷깃을 여미게 되는 걸 보니 가을이 성큼 다가온 듯하다. 날씨가 좋으니 책 읽을 맛도 나고, 가을은 책 읽기 딱 좋은 계절이다. 가만히 앉아 창밖 풍경을 보니 나뭇잎 색깔이 어느새 노랗게 변해있다. 참 시간은 빨리도 흐른다.
  나도 어느새 사십이 훌쩍 넘어 중년의 나이로 접어들게 되니, 문득 내 삶에서 잘했던 일, 좋았던 일이 뭐가 있었을까…라는 생각이 든다. 딱히 떠오르는 게 없는 걸 보니 그닥 잘한 게 없는 인생인 것 같기도 하다.

  그래도 곰곰이 생각해 보니 몇 가지 고만고만한 것들이 떠오른다.
첫 번째, 항상 나를 위해주는 사람을 남편으로 선택한 것.
두 번째, 사랑하는 아이를 낳은 것.
그리고 마지막, 책 모임을 꾸준히 나가고 있는 것.
  책모임! 남편은 참 사람은 겉만 보고 판단하면 안 된다고 하면서 내가 꾸준히 책모임에 나가고 있는 걸 항상 신기해한다.

내가 책모임을 처음 하게 된 것은 인터넷 아파트 입주민 카페에서 책모임 회원을 모집한다는 글을 보고서이다. 사실 난 책을 많이 보지 않았었고 좋아하지도 않았던 터라 약간은 두렵기도 했었다. 나도 책을 잘 읽고 싶다. 그런데 집중력이 없어서인지 의지가 약해서인지 끝까지 책을 읽는 게 생각보다 어려웠다. 한참 책장을 넘기고 있지만, 글자를 따라가고 있을 뿐 머릿속에 내용이 잘 들어오지 않았다.

그럼에도 큰맘 먹고 시작한 책 모임이기에 꾸준히 참여를 했다. 의외로 다양한 사람들과 소통하면서 함께 같은 책을 읽고 많은 이야기를 나누다보니 조금씩 익숙해져가는 나 자신을 발견할 수 있었다. 읽은 책이 책장에 쌓여갈수록 일상에서 마주하는 고민거리와 문제의 답을 찾을 때도 있고, 살아가는 방법에 대한 새로운 지혜를 얻기도 한다.

아이가 초등학교에 입학하고, 3학년이 되었을 때 학교 도서실에 어머니 봉사가 있다는 소식을 듣고 신청했다. 도서실 봉사활동 전에는 학교가 좀 어색한 면이 없지 않았는데 봉사를 시작하니 내 아이가 다니는 학교라는 사실이 피부로 느껴지게 되었고 이제는 왠지 내 학교 같은 친근한 기분이 든다. 도서실에 들어섰을 때 내 손길이 닿아 잘 정리되어있는 좋은 책들을 보면 나도 모르게 미소가 지어진다.

그런데 그곳에서 어머니 독서모임을 한다기에 나도 모르게 뭐에 홀린 듯이 신청을 해버렸다. 읽어야 될 책이 많아져 부담은 두 배로 늘었지만, 아는 만큼 보인다고 하지 않던가! 책을 통해 얻게 될 나의 지식과 지혜가 나의 삶을 몇 배로 풍요롭게 하리라 믿으며, 오늘도 즐겁게 책장을 넘겨본다.

: 햇살 같은 사람이 되기를 바라며.

 햇살이 눈부시게 비추는 봄날에 가슴이 설
렙니다. 함께하는 시간 동안 봄날처럼 밝은
에너지로 가득하길 바래요.

<회원명: HYDE>

'독서 동아리에 지원실 분이 있나요? 교장 선생님이 "함께" 하실 수도 있어요.'
울리지 않는 카톡 소리에 신이 난다.

'책 읽어주는 어버이'나 '책사랑대표'의 정기회의 후, 남은 엄마들과 도서실에 앉아 수다 떨고 있는 모습을 보신 교장 선생님은 어머니 동아리 모임도 만들면 좋겠다고 생각하셨다고 한다.
뭐, 책사랑 봉사자들에게 전달하는 거야 뭐가 어렵겠냐마는(톡에 글만 쓰면 되는데...) 독서동아리 경험이 전혀 없는 나는, 또 다른 책임을 떠맡고 싶지는 않았다.

사서 선생님도 자신이 그 일을 맡게 될까 봐 걱정하고 있었다. '제발 회장님, 어머니들께 물어보지 마세요.' 하는 말이 목구멍까지 올라왔을 거다.

교장 선생님이 말씀하셨기에 전달은 해야 했고, 조용한 어머니들의 성격에 가벼워진 내 마음. 너무 행복했었다.

'물어봤는데 지원자가 몇 명 없어서 못 할 거 같아요. 아쉽네요.'

그러나 독서동아리에 대해 묻는 것은 거기에서 그쳤어야 했다.

두세 번 묻는 순간 손드는 사람들이 생겼다. 맙소사. 이제는 큰일이다. 수가 늘어나지 않기를 바랐지만, 어느 순간 모임이 만들어질 수 있는 인원이 되어버렸고, 도와 줄 사람이 필요했다. 매일 독서클럽에 대해 검색하며 보내던 그때 레이더망에 걸린 책사랑 3대표 (써니혜원). 이것저것 물어보니 잘 가르쳐 주신다.

앗싸!

그렇게 시작하게 된 꿈뜰애.

처음이라 어색하기 짝이 없이 시작한 이 모임에 이름을 짓고, 부캐명을 만들고, 애정이 담긴 아이디어를 쏟아내는, 이토록 열정적인 사람들의 모임이라니.

그저 도서관 봉사자로 '안녕하세요. 감사합니다.' 하는 인사만 하며 지내던 그들이, 이제는 나의 몇 안 되는 인간관계 속에 매달 한 번 만나는 반가운 얼굴로 들어왔다.

: 그냥 좋아하는 가수. 부캐에 대해 깊이 생각하는 게 귀찮기도 하고, 양면성에서 '악'을 나타내는 것도 좋아서.

<**회원명: 또바기**>

    어린 시절, 지방에서 자란 내가 보기에 수도권의 우리 동네는 늘 부족함이 없어 보였다. 전업주부의 피곤함이라고는 찾아볼 수 없는 산뜻한 분위기들. 늘 활기차고 의욕이 넘치는 표정들.

    나랑 맞지 않는 이곳에서 세련되고 도시적인 엄마들의 모습을 보면 나보다 아이를 앞세우기 일쑤였다.

    그래서인지 학교 모임에 참석한다는 것은 늘 어느 정도의 부담이 있었다. 솔직히 말하자면 화려해 보이는 '그들' 앞에서 '아이의 체면이 깎이지 않아야지.'라는 생각이 늘 마음 속에 자리 잡고 있었다. 겉으로는 '나는 내 갈 길 갑니다.'였지만 사실은 자신이 없었다. 그래서 학교공개의 날이 되면 어김없이 '체험학습 신청서'를 제출했다. 모두가 지켜보는 그곳에 나를 두기 힘들었기 때문이다.

하루는 큰 아이가 이렇게 말했다.

"엄마, 나 학교에서 발표도 꽤 잘하는데 다음 공개수업의 날에는 꼭 보여주고 싶다."

나의 두려움 때문에 아이의 기회를 빼앗다니. 갑자기 미안했다.

"나는 네가 사람들 앞에서 발표하는 거 싫어하는 줄 알았어."

라고 둘러댔지만, 결국은 나 자신의 고백을 고스란히 뒤집은 말이었다.

"엄마는… 사람들 틈에 서기 싫었거든."

마음이 움직이기 시작했다.

아이들이 다니는 학교는 '책' 관련 학부모 참여가 많았다. 아이의 부탁도 있었고, 아이의 교실에 들어갈 수 있기에 수요일 아침 '책 읽어주는 어버이' 활동도 참여하게 되었다.

그 활동을 시작으로 어색하고 조심스러웠던 학교 도서관이 조금 나에게 가까워지기 시작했다. 도서관 봉사 시간도 내 아이를 위한 시간들이 아니라 나를 위한 시간들로 서서히 자리 잡아 갔다.

2022년 겨울, 봉사 학부모를 중심으로 '학부모 책모임' 의향을 묻는 공지가 떴다.

'단순히 학원 이야기, 맛집 이야기를 나누는 것이 아닌 '책'을 나눈다?' 그럼, 책 뒤에 숨어 사람들을 만날 수도 있겠다.' 라는 생각이 들었다.

'사는 이야기'가 고팠고, 동네와 동떨어져 있는 내가 불안했고, 나도 책이라면 요새 좀 읽을 수 있다는 자만심이 발동했기에 바로 '신청하겠습니다'를 전송했다.

그리고 책을 만나고, 사람을 만났다.

또
바
기

: 언제나 한결같이. 꾸준하게 한 가지 일을 못하는 성격을 고쳐서 이번 책들은 한결같이, 꾸준히 읽어보자!

제2장 첫 모임과 시작

온라인 카페 만들기

1. 책 목록 정하기
   - 구성원 1명당 3권의 책 추천
   - 투표로 다득표 14권 선정
   - 도서별 발제자 선정, 시기 선정

2. 시간 및 장소 정하기
   - 매월 셋째 주 수요일
   - 학교 도서실

3. 연락망 설계하기
   - 카페 만들기
   - 회원 가입하기 후 도서 목록 확인

4. 출석 여부/ 발제문
   - 매월 출석 여부 올리기(발제자)
   - 둘째 주 수요일 발제문 올리기(발제자)

제3장 도서목록과 발제문

1. 도서목록

1월	질문하는 독서의 힘	9월	창문을 넘어 도망친 100세 노인
2월	멋진 신세계	10월	침묵의 봄
3월	아내를 모자로 착각한 남자	11월	선량한 차별주의자
4월	오만과 편견	12월	1984
5월	기분이 태도가 되지 않게	1월	긴긴밤
6월	하얀 토끼를 따라가라	2월	모모
7월	방구석 미술관	3월	역사의 쓸모
8월	여행의 이유		

2. 발제문

[1월 발제문] 질문하는 독서의 힘

#김민영외3명#독서에세이#발제문

1. <질문하는 독서의 힘>은 "질문하는 독서는 능동형"이라고 하며 "집중력을 높여주는 주체적 독서"(19쪽)인 질문하는 독서에 대해 4장에 거쳐 방법론을 보여주고 있습니다.
   우리가 독서동아리 "꿈뜰애"를 시작하면서 독서 모임에 도움을 얻기 위해 이 책을 첫 책으로 선정하여 읽게 되었는데 책을 읽은 소감은 어떠신가요?

2. "꿈뜰애"에 참여하신 이유는 무엇인가요?

3. 여러분이 "꿈뜰애"에 참여하신 이유에 비춰서 우리 독서동아리가 어떤 방향으로 진행되어야 한다고 생각하십니까?

4. 저자는 "다른 생각이 들어올 틈 없이 책에 푹 빠져 있다는 것은 작가가 만들어 놓은 세계에 완전히 녹아 들어간다는 뜻"이며 "책이 주도권을 쥐게 되는 것"으로 "책에 눌려 입장을 정리할 기회를 박탈당한다"(56쪽)라고 하며 표시하면서 읽기에서 비판적인 독서가 시작된다고 하였습니다.

   그러면서 밑줄 긋기, 페이지 귀퉁이 접기, 단상 메모하기, 발췌하기 같은 방법을 제시하였습니다.
   여러분이 독서를 하는 방법은 어떠한가요?

5. 사전 투표로 1년간 읽을 책 목록을 선정하였고, 그것을 바탕으로 발제자와 발제할 책을 정하도록 하겠습니다.

'질문하는 독서의 힘' 나의 별점

☆ ☆ ☆ ☆ ☆

[2월 발제문] 멋진 신세계

#올더스헉슬리#영미소설#미래문명

1. 책의 시작은 첨단 과학의 시대적 배경으로 시작합니다.

"겨우 34층밖에 안 되는 나지막한 잿빛 건물, 정문 입구 위에는 '부화-습성 훈련 런던 총독부'라는 현판이 걸렸고, 방패꼴 바탕에는 '공동체, 동일성, 안정성'이라는 세계국의 표어."(30쪽)

그리고 계속 복제인간의 부화 및 양육에 관한 설명이 이어집니다. 물리적 환경의 제약과 세뇌 교육으로 신세계의 일원인 알파부터 입술론 계급과 직업 적합성을 만들어 냅니다.

이러한 내용에 대해 어떻게 생각하나요?

2. 신세계와 야만인보호구역에서의 성적 관념이 상반됩니다.

신세계에서는 4개월 동안 헨리 한 사람만 사귄 레니나에게 친구 페니가 "그토록 오랫동안 레니나는 헨리 이외에 어느 누구하고도 관계가 없었단 얘기잖아요. 안 그래요?"(82쪽)라고 말합니다. 반면 야만인 존은 레니나의 유혹에도 "레니나, 말파이스에서는 사람들이 결혼을 합니다."'(292쪽) 영원히요, 그들은 영원히 같이 살기로 약속합니다."(292쪽)라고 말하며 레니나의 유혹을 단호하게 거절합니다. 그 밖에도 신세계에서는 가족, 가정, 결혼, 아버지, 어머니라는 단어에 대해 저속하다고 여깁니다. 이러한 차이를 어떻게 보셨습니까?

3. 소설에서는 인물 내면의 갈등이 발생하는 장면에서 "당신에게 필요한 건 소마 한 알이죠."(102쪽)와 같은 문장이 자주 등장하고는 합니다.
이 소마(soma)에 대해 어떻게 생각하시나요?

4. 야만인 존은 어머니의 죽음 이후로 충격을 받고 모든 것에 안정적이지만 통제받는 신세계에서 자유를 외칩니다. "하지만 난 안락함을 원하지 않습니다. 나는 신을 원하고, 시를 원하고, 참된 위험을 원하고, 자유를 원하고, 그리고 선을 원합니다. 나는 죄악을 원합니다."(362쪽)
이 구절에 대한 생각은 어떠한가요?

5. 소설에서는 야만인들이 사는 세상과, 신세계가 철저히 분리되어 운영되고 있습니다.
여러분이 둘 중 하나의 세상에서 살아가야 한다면 어떤 세상을 선택하고 싶은가요?

6. 마지막에 야만인 존은 모든 신세계의 사람들과 격리된 채 살아가기를 희망하여 외딴 등대가 있는 곳으로 갑니다. 하지만 신세계 사람들의 관심이 결국 그를 유희거리로 전락하게 만들고 맙니다. 그는 결국 등대에서 쓸쓸히 생을 마감하게 됩니다.
이러한 결과에 대해 어떻게 생각하나요?

'멋진 신세계' 나의 별점

☆ ☆ ☆ ☆ ☆

[3월 발제문] 아내를 모자로 착각한 남자

#올리버색스#심리학#뇌의학연구

1. 이 책에서 저자는 코르사코프 증후군 환자 두명 (길 잃은 뱃사람- 지미, 정체성의 문제-톰슨)을 통해 기억과 정체성의 관계에 대해 질문을 던집니다.

    우리 자신(정체성)을 이해하는데 있어서 기억은 어떤 역할을 할까요? 기억이 없는 인생은 과연 인생으로서 의미가 있는 것 일까요?

2. 이 책의 저자는 약물적인 처방뿐만 아니라 예술활동을 처방으로 제공하여 환자들의 치료를 돕습니다.

    1부 상실) 길 잃은 뱃사람-정원 가꾸기, 매들린의 손-조각

    2부 과잉) 익살꾼 틱 레이 -드럼연주

    3부 이행) 살인-정원 가꾸기

    4부 단순함의 세계) 시인 리베카-연금, 살아있는 사전-성가대,자폐증을 가진 예술가그림

    신경과 전문의인 저자는왜 예술활동을 환자들에게 처방하였을까요? 우리 삶에서 예술이 갖는 의미와 역할은 무엇이라고 생각하시나요?

3. 이 책에서 몇몇의 환자들은 의학 치료를 통해 보통 사람들의 삶을 강요받고(익살꾼 틱 레이, 쌍둥이 형제), 약물치료를 통해 본인들만이 갖던 생득적인 특질을 잃게 됩니다. "레이는 투렛 증후군 환자이며 할돌의 투여로 인공적인 균형을 강요당하고

그로 인해 '자유롭지 못한' 상태이지만 그러한 상황을 적적하게 극복해서 만족스러운 삶을 살고 있다."(176쪽)

그들이 가진 정체성을 버리도록 하는 것이 제대로 된 의학적 치료가 맞을까요? 여러분들의 생각은 어떠하신가요?

4. 이 책에는 24편의 이야기들이 실려 있습니다.

이 이야기의 인물들 중 가장 인상깊게 느껴졌던 인물은 누구인가요? 그리고 그 이유는 무엇인가요?

5. 이 책의 서문에서 저자는 "정신과 물질은 서로 다른 영역이다. 둘 사이에는 뛰어넘기 어려운 벽이 필연적으로 존재한다. 이것은 틀림없는 사실이다. 그러나 이 두 영역을 동시적으로 다루고 분리할 수 없도록 결합시켜 실행하는 연구가 가능하다면 범주가 서로 다른 그 두 영역을 접근시키는 데 도움이 될지도 모른다. 바로 이것이 내가 이 책에서 특별히 관심을 기울이며 추구하는 목적이기도 하다."(11쪽) 라고 이 책을 쓴 목적을 밝히고 있습니다.

여러분들은 작가가 이 책을 통해 하고 싶었던 말이 무엇이라고 생각은 어떠하신가요?

그리고 이 책은 현재 의학, 뇌과학 분야 고전의 반열에 오른 것으로 세간의 평가를 받고 있습니다. 이 책이 고전으로 평가받을 만한, 그 특별한 부분이 무엇이라고 생각하시나요?

'아내를 모자로 착각한 남자' 나의 별점

☆ ☆ ☆ ☆ ☆

[4월 발제문] 오만과 편견

#제인오스틴#영미소설#태도

1. 소설 속 등장인물 중 한 명의 편견을 정리하고, 그에게 더 나은 삶의 방향을 위한 가치를 내 편견으로 조언해 주세요.

2. 훌륭한 판단력과 성품의 소유자인 샬롯은 자신의 열등한 조건 때문에 터무니없이 우둔하고 젠체하는 콜린스와의 결혼을 택합니다. 그러나 엘리자베스는 세속적인 이익을 위한 샬롯의 선택에 실망하고 더 이상 진정한 신뢰는 없을 거라고 생각합니다.

   샬롯이 살아온 삶의 맥락 전체를 여러분이 상상하고 그녀의 현재 환경과 상황을 고려하여 그녀의 입장에서 엘리자베스에게 이견을 주세요.(제인 오스틴이 집필한 시기를 배제하고 상상하셔도 됩니다.)

3. 메리는 오만을 아래와 같이 정리합니다.

'오만은 가장 흔한 결함이다. 아주 일반적이라는 것. 인간 본성은 오만에 기울어지기 쉽다는 것. 실재건 상상이건 자신이 지닌 이런저런 자질에 대해 자만심을 품고 있지 않은 사람은 우리들 가운데 거의 없다는 것. 허영과 오만은 종종 동의어로 쓰이긴 하지만 그 뜻은 다르다. 허영심이 강하지 않더라도 오만할 수 있다. 오만은 우리 스스로 우리를 어떻게 생각하느냐와 더 관련이 있고, 허영은 다른 사람들이 우리를 어떻게 생각해 주었으면 하는 것과 더 관계된다.'(31쪽)

메리가 말하는 가장 흔한 인간 본성의 결함이 소설 속 등장 인물에게 어떻게 나타나는지 찾아보고, 그런 감정이 인간관계에 어떤 영향을 줄까요?

4. 엘리자베스는 자신의 편견을 인지하고 있는 그대로의 자신을 성찰합니다. 타인이 자신을 냉철하게 바라보는 것을 허용하고, 자기 자신이 스스로를 객관적으로 바라보는 과정을 겪으며 이성적인 사람의 본보기로 보여집니다.

만물이 소생하는 4월, '나'는 어떤 편견과 오만을 깨닫고 성찰 중인가요?

5. <오만과 편견>에서는 결혼에 이르는 다양한 모습을 볼 수 있습니다. 그중에서도 엘리자베스와 다아시는 물질적인 이득이나 신분의 상승 등 그 당시 팽배해 있던 속물적인 결혼 풍속 속에서 사랑과 믿음을 결혼의 최고 조건으로 생각하고, 몸소 실천한 인물들입니다.

결혼은 예나 지금이나 인생의 중대사입니다. 이미 결혼한 우리는 앞으로 자녀의 결혼을 지켜볼 수 있습니다.

내 앞에 결혼을 앞둔 자녀가 있다고 가정하고 현대 사회에서 이상적인 화혼의 조건을 이야기해 주세요.

'오만과 편견' 나의 별점

☆ ☆ ☆ ☆ ☆

[5월 발제문] 기분이 태도가 되지 않게

#레몬심리#자기계발#심리조절

1. 이 책은 서점에서 자기계발서로 분류되어 있습니다. 본디 무릎
   을 치며 읽지만 그대로 실천할 수 없는 책이 '자기계발서'일 텐
   데요.

   그런 의미에서 이 책에서 소개한 '심리수업' 중 가장 공감하기
   힘든 것은 무엇이었나요?(범위가 너무 넓다면 5장에 나오는 '
   나쁜 감정으로부터 나를 지키는 연습' 중 가장 힘든 것은 무엇
   인가요?)

2. 1장과 3장에서는 진정한 '자아정체성'과 '자화상'이 있어야만
   외부에서 다가오는 위기를 넘길 수 있다고 말합니다.

   내가 가장 쉽게, 자주 무너지는 위기의 순간들을 떠올려 본
   후, 그 위기의 순간을 극복할/극복한 책의 주인공을 소개해 주

세요. 또는 나의 '자아정체성'을 대변/표현해 줄 수 있는 책의
주인공을 소개해 주세요.
· 책 제목
· 인물명
· 인물의 도덕성, 가치관, 이상, 장점, 태도 등등

3. 2장에서는 실망감과 기대감이라는 감정을 동시에 설명합니다.
(68-73쪽) 높은 기대감이 주는 좌절과 실망감을 경계하라 조언
합니다. 그러면서도 인간관계를 벗어나 '기대'라는 자연스러운
감정을 충분히 즐기라는 당부도 남깁니다.

아주 사소하더라도 나의 삶에 가벼운 미소를 머금게 하는 '기
대감'을 구체적으로 나누어 주세요.

4. 저자는 특별히 성공한 여성들의 '가면증후군'을 언급합니다.
(125-130쪽)

어린 시절부터 여자로 살아가며 내 안에 쌓여있는 '강요된 사
회적 분위기'는 어떤 것들일까요? 또 모임에 참석한 우리의 공
통 과업인 '육아'의 범주에서, 우리에게 (스스로가) 요구하는 육
아의 '성과'는 무엇이고 우리가 (스스로) 평가절하하는 개인의 '
노력'은 무엇인가요?

'기분이 태도가 되지 않게' 나의 별점

☆ ☆ ☆ ☆ ☆

[6월 발제문] 하얀 토끼를 따라가라

#필립휘블#철학#10가지주제

1. "감정은 이처럼 최소한 세가지 기능을 한다. 즉 감정은 자동적인 행동, 정보, 의사소통 체계다."(48쪽)

   "감정이 있는 존재는 일찍부터 야생에서, 그리고 조직 내에서 살아남을 수 있었다. 그리고 감정을 드러낼 수 있는 존재는 살아남을 가능성이 더 높았다."(52쪽)

   본인이 혹은 타인이 감정을 드러냄으로써 이득 혹은 손해를 봤던 직, 간접 경험이 있다면 감정의 기능에 맞추어 분석해 주시기 바랍니다.
   경험이 떠오르지 않는다면 일상에서 감정의 기능을 어떻게 하면 영민하게 활용할 수 있을지 생각해 보세요.

2. "1970년대 후반 홉슨은 동료들과 함께 오늘날까지도 널리 사용되는 기준을 개발했다.
   (중략) 또한 솔름스는 홉슨과 달리 둘레계통에 속한 뇌의 보상과 욕망의 중추가 하는 일에 관심을 보였다." (175쪽)

   우연과 종합을 중시한 홉슨와 소원과 동기를 더 중시한 솔름스 중 어느 쪽 의견이 더 설득력 있는지 자신이 생각하는 꿈의 역할과 관련하여 의견을 나누어 주세요.

3. "우리의 의식은 주관적으로 우리와 묶여 있을 뿐만 아니라 우리의 모든 경험과 생각을 단 하나의 일관적인 경험으로 융합한다."(316쪽)

   의식에 대해 자기만의 언어로 정의 내려보고, '의식의 메커니즘'을 '의식'하게 된 후 깨닫게 된 점이 있다면 이야기해 주세요.

4. "우리는 죽음에 세 가지 태도를 보일 수 있다. 우선 긍정적인 태도다. (중략) 그 다음은 부정적인 태도다. (중략) 마지막으로 중립적인 태도다. '죽음은 우리와 상관이 없다.'"(316쪽)

   여러분은 인류의 죽음에 대해 어떤 태도를 취하고 있나요?

   타인의 죽음, 가족의 죽음, 나의 죽음에 일관적인 태도로 임할 수 있을까요?

5. '하얀 토끼를 따라가라'에서는 언어, 신, 의지, 진리, 예술, 신체 등 평소 무심하게 넘겼던 주제를 깊게 사고하는 일련의 과정을 보여줌으로써 우리가 어떻게 사고체계를 확장시켜 나갈 수 있는지 가이드 해 주고 있습니다. 만족스러운 가이드였나요?
   가이드를 따라가 본 후 자신의 생각이 확장되거나 편견이 수정된 부분이 있다면 이야기해 주세요.

'하얀 토끼를 따라가라' 나의 별점

☆ ☆ ☆ ☆ ☆

[7월 발제문] 방구석 미술관

#조원재#예술/미술#예술가의사생활

1. 우리가 미술이 어렵다고 생각되는 이유는 작품 안에서 무엇인가를 읽어내야만 한다는 마음 때문이 아닐까요?

   '미남' 조원재 작가는 작품에 이론적으로 접근한 것이 아니라, 쉽고 재미있는 글로 비하인드 스토리를 들려주었습니다.

   여러분이 가장 인상 깊었던 예술가의 삶은 무엇인가요?

   아니면, 저자의 해석과는 다른 비하인드 스토리를 알고 계시면 나누어 주세요.

2. 빛과 색을 연구하는 학자들은 가장 매력적인 색으로 파랑이 단연 1순위라고 합니다.

   파랑은 자연에 흔하게 존재하지 않는 색인데, 그 자체가 파란색 색소를 지닌 게 아니라 파란색 빛이 산란을 일으켜 눈으로 들어와 '파랗게 보이는' 것일 뿐이라고 합니다.

황시증에 걸린 반 고흐에게 노란색이 사랑의 표현이자 생의 에너지였다면, 그와 대비되는 어두운 파란색은 내면의 깊은 심연을 의미했습니다.

내가 선호하는 색은 무엇인가요?
아니면, 내 인생은 무슨 색인가요?

3. 반 고흐는 해바라기의 의미에 대한 질문에 "감사를 상징한다." 라는 대답을 했다고 합니다.

   고흐는 너무나 존경하는 폴 고갱이 아를에 오게 되면 사용할 방을 꾸미기 위해 해바라기 시리즈를 그려나가기도 했는데, 폴 고갱은 파리로 돌아가며 남긴 편지에 이렇게 적었습니다.
"아를에 머무를 당시 사용하던 나의 노란 방에는 해바라기들이 피어 있었고, 방안의 노란 커튼을 열면 창문을 통해 햇볕이 쏟아지며 이내 방안은 해바라기 황금빛으로 물들었다. 매일 아침 눈을 뜰 때면 방안 가득히 해바라기 향기가
가득 퍼지는 것 같은 느낌을 받았다."

우리 집 어느 장소에 걸고 싶은 그림이 있었나요?

아니면, 이미 걸려있는 작품을 소개해 주셔도 좋습니다.

4. 최근 아트테크(Art-tech) 열풍으로 관심 있는 작품에 조각 투자하거나 대체 불가능 토큰(NFT)으로 전환하여 쉽게 소장하기도 하고, 작품 렌탈 서비스를 이용하거나 다른 문화와 융합하여 다양한 방법으로 예술품을 즐길 수 있게 되어 국내 미술시장 규모도 커지고 있습니다.

여러분만의 미술을 즐기는 방식이 있나요?

아니면, 빠르게 변하는 트랜드와 기술로 보아 미래에는 어떤 방식으로 예술을 즐기게 될 것 같나요?

5. 아주 잘 그린 미술작품, 그래서 많은 사람들이 작가 이름이나 제목을 기억하는 유명한 그림을 명화(名畫)라고 합니다. 하지만 명화에는 특별한 조건이나 기준이 없습니다. 그저 다른 사람들이 명화라고 하면, '명화구나'하는 경우가 많지요.

내가 생각하는 명화의 정의나 기준을 한 줄로 표현해 주세요. 아니면, 명화를 골라 한 줄로 표현해 주세요.

" VIVA LA VIDA !" - Frida Kahlo -
우리 모두 "인생이여, 만세!" ;)

'방구석 미술관' 나의 별점

☆ ☆ ☆ ☆ ☆

[8월 발제문] 여행의 이유

#김영하#여행에세이#여행의의미

1. 찌는 듯한 무더위 속에서 모두들 짧은 여름방학 잘 보내셨나
   요? '알아두면 쓸데있는 신비한 여행지!' 방학 때 가봤던 나만의
   여행지에 대해서 소개해 볼까요?

2. <그림자를 판 사나이> 여행은 언제나 설레고 즐겁습니다. 숨
   막히는 코로나 시기를 넘어서고 우리 모두 무언가에 홀린 듯이
   여기저기로 여행을 떠나고 있습니다.

   왜 우리는 이토록 여행을 떠나고 싶어 하는 것일까요?

3. <아폴로 8호에서 보내온 사진> "인간이 타인의 환대 없이 지
   구라는 행성을 여행하는 것이 불가능하듯이 낯선 곳에 도착한
   여행자도 현지인의 도움을 절대적으로 필요로 한다"고 말합니다.
   처음 가 본 여행지에서 기억에 남는 환대를 받은 기억이 있나
   요? 시간이 흘러 기억을 떠올려봤을 때 꼭 다시 가보고 싶은
   여행지나 그곳에서 만난 보고 싶은 사람이 있나요?

4. <노바디의 여행> 내가 누구인지 아무도 모르고 관심도 두지
   않는 곳 - 여행지에서 나는 완전한 익명 속에서 새로운 나를
   가장할 수 있습니다.

60

나도 몰랐던 내면의 모습이 여행을 통해 드러났던 기억이 있나요?
아니면, 완전한 자유를 느껴본 적이 있나요?

5. 책에서 가장 인상 깊었던 문구가 있다면?

6. 인생이라는 여행을 같이하고 싶은 사람이 있다면?

√ 나에게 있어 여행은 (_____) 이다.
√ 나에게 있어 인생은 (_____) 이다.

'여행의 이유' 나의 별점

☆ ☆ ☆ ☆ ☆

[9월 발제문] 창문을 넘어 도망친 100세 노인

#요나스요나손#북유럽소설#현대사주요사건

1. 알란은 청년시절 그리고 100세 생일 양로원을 나서면서도 많은 사람들을 만납니다.
   알란이 만난 인물 중에 가장 기억에 남는 인물은 누구인가요? 그 이유는 무엇인가요?

   기억에 남는 사건을 이야기해도 좋을 것 같아요.

2. "노인은 말름셰핑의 버스터미널에서 자기가 왜 트렁크를 훔칠 생각을 했을까 자문해 보았다. 그냥 기회가 왔기 때문에? …… . 정말 이 중에 무엇이 정답인지 알 수 없었다. 뭐, 인생이 연장전으로 접어들었을 때는 이따금 변덕을 부릴 수도 있는 일이지…. 그가 좌석에 편안히 자리 잡으며 내린 결론이었다."
   삐걱대는 소리를 내는 두 무릎으로 오줌슬리퍼를 질질 끌면서 길을 떠난 백 세 노인이 하기에는 <인생의 연장전>이라는 말이 꽤 놀랍게 들립니다.
   벌써 꽤 많은 시절을 살아왔으며, 젊은 시절의 그때를 그리워하고 이제 무언 갈 시작하기에는 늦었으며, 많은 것들을 포기하고 접어야지 생각하고 있는 우리에게 아직 끝이 아니라 또 다른 시작이라고 말하고 있는 100세 노인의 모습은 이상스럽기도 하면서 존경스럽습니다.

   인생의 연장전이라고 하기엔 이르지만, 내 인생에 있어서 꼭 해야 할, 하고 싶었지만 나이 때문에 주변 상황 때문에 반쯤 포기하고 있던 일은 무엇이 있을까요?

3. 알란 칼손의 MBTI는 대체 무엇일까 고민해보았습니다.
   ESTP : 모험을 즐기는 사업가 - 개방적이고 선입견이 별로 없고 문제 해결 능력이 뛰어나다.

   여러분의 생각은 어떠신가요?? MBTI를 믿나요? 나의 MBTI는 무엇인가요?

4. 세상만사는 그 자체일 뿐이고, 앞으로도 무슨 일이 일어나든 그 자체일 뿐이란다. (47쪽)
   "조실부모하고, 찢어지게 가난하여 학교도 제대로 못 다니고, 억울하게 정신 병원에 끌려가 거세당하고, 투옥되고, 수용소에 갇히고, 전 세계를 유랑하며 끊임없이 사선을 넘나 들었지만 이 영감님은 여전히 웃고 꿈꾸고 삶을 즐긴다. 세상의 그 어떤 어둠도 이 영감님의 씩씩한 긍정과 단호한 낙관주의를 억누르지 못한다. "

   나의 삶의 철학은 무엇인가요?
   "알란 칼손은 인생에서 많은 걸 바라는 사람이 아니었다. 단지 누워 잘 수 있는 침대와 세끼 밥과 할 일, 그리고 이따금 목을 축일 수 있는 술 한 잔만 있으면 그만이었다." (302쪽)

   내 인생에 있어서 꼭 있어야 할 세 가지를 이야기해 본다면? 무엇이 나를 살아가게 하고 행복하게 하나요? 간단히 말해, 내 삶의 낙은 무엇인가요?

'창문을 넘어 도망친 100세 노인' 나의 별점

☆ ☆ ☆ ☆ ☆

[10월 발제문] 침묵의 봄

#레이첼카슨#사회학#환경문제

1. 요즘 청소년들도 과학 분야 필독서로 많이 읽고 있는 이 책은 미국의 해양생물학자이자 작가인 레이첼 카슨이 1962년에 쓴 환경학책입니다.

    살충제 그중에서도 DDT의 무분별한 사용으로 인한 생물농축과 생태계 파괴에 관해 이야기하며 대중들의 경각심을 일깨워 환경운동을 활성화하는 데 큰 공헌을 한 책이기도 합니다. 무분별한 과학기술의 사용을 경계하고 생태계의 공존을 이야기하는 '침묵의 봄'에서 가장 인상 깊었던 부분이나 문구, 그리고 그렇게 생각하신 이유를 말씀해 주세요.

2. 수많은 예시를 통해 실효성도 없이 생태계의 파괴만을 가져온 무분별하고 무차별적인 화학적 방제에 관해 이야기하면서도, 레이첼 카슨은 절대로 살충제를 사용해서는 안 된다. 라고는 하지 않았습니다.

인간에게 부메랑으로 돌아올 무시무시한 생태계 파괴에 대한 공포만을 이야기하는 것이 아니라 자연과 함께 적절하게 공존할 방안들도 제시하고 있는데요. 그러나 외래 곤충과 외래 식물의 유입, (인간에게 해로운) 수컷 모기의 박멸로 인한 생태계 교란에 대해서는 회의적인 생각도 듭니다.

여러분은 이 방안들에 대해 어떤 의견인지 아니면 이 책에서 얘기하고 있는 것 외에 추가로 소개해 주실 것이 있는지 알려주세요.

3. 이 책은 오랜 명성과 환경 분야에서의 성과만큼이나 많은 비판도 있습니다. 이 책은 60년대에 출간된 책으로 현재의 과학 상식과 다른 내용이 있을 수도 있습니다.

여러분이 알고 있는 과학적 지식과 다르다고 생각되는 부분이 있다면 무엇일까요? 그 근거와 함께 말씀해 주세요.

아니면 이 책에 대한 반론이나 옹호론을 펼쳐주셔도 좋습니다.

4. (1), (2) 둘 중 하나만 대답해 주셔도 됩니다.

(1) 38쪽과 202쪽의 내용에서 말하듯이 모르면 용감하다고 DDT를 몸에 뿌리고 방사능 물질로 장난감을 만들어 팔던 시대가 있었습니다.

이 책에 나오는 대부분의 살충제는 이미 사용금지 되었고 방사능이 위험하다는 인식 역시 모든 대중들이 가지고 있습니다. 그러나 우리가 여전히 화학제품의 공격 속에서 안전한 것은 아닙니다.

제한된 정보로 과학을 소비하고 있는 여러분의 자세는 어떠해야 할까요? 국가와 업체를 견제할 방법은 무엇일까요?

(2) 살충제가 생태계에 미치는 영향을 알리는 이 책의 살충제 자리에 미세플라스틱, 환경호르몬, 인간의 이익을 위한 서식지 파괴 등을 대체해보면 아직도 침묵의 봄이라는 경고는 유효합니다.

여전히 새가 침묵하게 만드는 생태계 붕괴를 막기 위해, 환경과의 공존을 위해 우리가 할 수 있는 일은 무엇일까요?

5. 과학커뮤니케이터란 과학을 대중들에게 쉽고 재미있게 전달해 주는 사람을 말합니다. 여러분이 알고 계신 과학커뮤니케이터를 소개해 주시거나 재미있는 과학 강연들을 알려주세요.

'침묵의 봄' 나의 별점

☆ ☆ ☆ ☆ ☆

[11월 발제문] 선량한 차별주의자

#김지혜#사회정치#인권

1. 김지혜 작가의 <선량한 차별주의자>는 "결정장애"라는 말을 쓰는 것을 자각하면서 자신이 차별을 했는가에 대한 당황함을 느끼게 됩니다. 나를 둘러싼 말과 생각들을 하나하나 훑는 작업은 마치 세상을 다시 배우는 느낌이었다고 하는데요. 다른 사람을 차별하지 않는다는 생각은 착각이고 신화일 뿐이었다라고 하면서, 이 책이 독자에게도 질문으로 남기를 바란다고 합니다.

여러분은 이 책을 어떻게 보셨나요? 별점과 소감을 나눠주세요.

(자유논제)
2. 특권이라는 것은 "주어진 사회적 조건이 자신에게 유리해서 누리게 되는 온갖 혜택을 말하"는데요. 여러분이 누리고 혹은 발견한 특권은 무엇이 있을까요?

(선택논제)
3. 5년 전 예멘 난민과 관련된 사태에서 대한민국이 들썩였습니다. 여러분은 비록 시간이 많이 지났지만, 이러한 난민상태에 대해서 어느 쪽에 공감하시나요?

(선택논제)
4. 의정부 고등학교 졸업사진에 관짝소년단이라는 이름으로 분장했던 일이 이슈가 된 적이 있습니다. 여러분은 관짝소년단을 보면서 이것을 어떻게 받아들여야 한다고 보시나요?

(자유논제)
5. 능력주의는 경쟁에서 쏟은 노력을 보상하기 위해 차등적으로 대응해야 정의로운 사회라고 말한다고 하는데요.(105쪽) 여러분은 이러한 구분과 차이를 어떻게 보셨나요?

(선택논제)
6. 저자는 "손님에게 예의를 지켜달라고 요구해도 된다고 해서 어떤 손님이 이를 지키지 않는다는 이유로 특정 '집단'을 거부해도 괜찮은지 묻습니다.(121쪽) 여러분은 영업을 하는 이의 권리와 차별받지 않을 권리. 어떤 권리에 무게를 두시나요?

(자유논제)
7. 저자는 "모두에게 표현의 자유가 있다고 말하지만, 실제로 다수자와 소수자의 자유는 같지 않다."고 하면서 "다수자는 소수자의 이야기를 듣지 않으면서 잘 말하라고 요구하며", "사실상 침묵을 강요한다"(171쪽)고 하는데요. 여러분은 이 문장을 어떻게 보셨나요?

(선택논제)
8. 저자는 "'다양성을 포함하는 보편성'을 만들기 위한 이 창의적인 프로젝트를 위해 우리는 함께 토론하고 연구해야"한다고 말하는데요. (176쪽) 여러분은 '모두를 위한 화장실'을 긍정하시나요?

'선량한 차별주의자' 나의 별점

☆ ☆ ☆ ☆ ☆

[12월 발제문] "1984"

#조지오웰#영미소설#디스토피아

1. 11쪽과 같이 만약 텔레스크린에 감시당하는 세계에 살고 있다면 여러분은 어떤 모습으로 존재할까요?

   또 많은 이들이 얘기하는 책 속의 세계와 cctv등에 감시당하는 현재 우리 세계가 비슷하다고 하는데요. 정보와 기억이 통제 혹은 감시 당하는 일이 있다고 생각하시나요?
   있다면 무엇이었을까요?

2. 책 속에서 "과거를 지배하는 자는 미래를 지배한다. 현재를 지배하는 자는 과거를 지배한다."는 슬로건 아래 자신의 기억을 계속 지워가며 신문이든 문학이든 기록은 정정되어 인쇄되고 그리하여 매일 매순간 과거는 현재가 되며 당의 주장에 증거가 되어 역사는 필요에 따라 지워지고 고쳐쓰인다고 했는데요.
   책 속이 아닌 지금 우리가 알고 있는 역사, 과거의 기억 혹은 책과 신문 등의 정보는 과연 믿을 수 있는 것일까요?

3. 73쪽에서 사임은 신어에 관해 이야기하면서 "낱말을 없애는 건 매력적인 일이지. 도대체 한 낱말이 단순히 다른 낱말의 반대만을 뜻한다면 굳이 있어야 할 필요가 뭐 있겠나?"라고 합니다.

   우리가 사용하는 단어를 사용하지 못하게 하여 없어지고 축소되면 어떤 일이 벌어지게 될까요?

4. 184쪽과 214쪽에서 위험을 무릅쓰지만 당장 바뀌는 게 없으니 관심 없다는 줄리아의 모습에 어떤 생각이 드시나요?

5. 262쪽에서 말하는 전쟁의 본질에 여러분은 동의하시나요?

6. 278쪽에는 세 계급 집단의 목표를 이야기합니다.
책 속의 세계에 있는 계급에 속해있다면 어떤 계급에서 살고 싶나요?

7. 361쪽에서 오브라이언은 골드스타인의 '그 책'에 대해서 말하며 "비밀리에 지식을 축적하고 점차적으로 계몽되어 프롤레타리아 혁명이 일어나 당이 전복된다는 계획말일세. 정말 엉터리네. 프롤레타리아는 수천 년이 지나도 반란을 일으키지 못하네. 당의 지배는 영원하네."라고 단언합니다.
책 속에서 결국 윈스턴은 빅브라더를 사랑한다고 하며 기다렸던 총알에 끝을 맞이하였고, 또 이 책이 나온 1948년에서 미래로 봤던 1984년 보다도 40여년이 더 지난 오늘날을 봐도 주변국 중국과 북한, 러시아와 같은 주변국이 있어서 더 많은 생각을 하게 되었는데요.

2050년에는 어떤 모습일지 미래를 그려볼까요?

'1984' 나의 별점

☆ ☆ ☆ ☆ ☆

[1월 발제문] 긴긴밤

#루리#어린이문학#연대

 이 책의 주제-'함께','의지하며' 한걸음씩 나아갔다.- 대신에 작가 인터뷰 기사를 바탕으로 집필 내용을 함께 나누고자 합니다.

1. 작가는 세상에 마지막으로 남은 수컷 흰코뿔소의 죽음을 동기로 삼아 책을 쓰기 시작했다고 합니다.
  (인터뷰 내용)"세상에 마지막 하나 남은 존재가 겪을 고통은 감히 상상도 할 수 없는 것들이었으리라."
  (57쪽) "이후로도 그들에게는 긴긴밤이 계속되었다."

  내 인생에서 '긴긴밤'을 어떻게 이겨냈나 생각해 보면서, 혹시나 우리 자녀들이 가까운, 먼 미래에 혼자 감당하기 힘든, 나의 잘못이 아님에도 찾아오는 위기들과 마주하는 '긴긴밤'을 지내게 될 때, 내가 전해주고픈 한마디, 행동 또는 꼭 남겨주고픈 책, 노래 가사, 그림, 이야기 등을 소개해 주세요.

2. 이 책에 등장하는 주인공들이 대부분 수컷입니다.

  (인터뷰 내용)"이야기를 구상할 무렵 아빠가 암 판정을 받으셨다. 마음의 정리를 하고 지난 삶을 되돌아보는 아빠를 보면서, 아버지들 이야기를 쓰고 싶었던 거 같다."
  온 몸으로 알을 지켜낸 고든, 치쿠, 윔보처럼 '아버지'가 또는 '부모님'께서 나를 지키기 위해 온 몸으로 막아선 장면을 나누어 주세요.

3. 작품의 화자인 어린 펭귄은 이름이 없습니다.

"무지개다리를 건넌 멍멍이 뭉크가 있다. 악몽을 가끔 꾸는데 똑같이 생긴 멍멍이가 수백 마리 있는 곳에서 뭉크를 찾아 탈출해야 하는 꿈이다. 이름을 부르는 것은 소용없고 내가 아는 특징들로만 찾아야 한다. 아기 펭귄은 뭉크처럼 사랑받는 존재였고, 그래서 이름을 지어주지 않았다."

90년대 "우정의 무대"에서는 항상 스크린 뒤에 그림자를 보여주며 "저의 어머니가 확실합니다."를 외치는 군인들이 등장합니다.

만약 스크린 뒤에 여러분이 있다면, 자녀와 나만이 아는 서로의 특징은 무엇일까요?

4. 이 작품을 쓸 당시 '루리'작가는 전업 작가가 아닌 직장인이었습니다. 그녀는 회사를 다니는 일상에서 마주하는 사람들의 모습을 담아낼 수 있기 때문에 직장을 그만둘 생각이 없다고 인터뷰한 적이 있는데요.

내게 가장 사소하면서도 영감을 주는 일상은 무엇인가요?

'긴긴밤' 나의 별점

☆ ☆ ☆ ☆ ☆

[2월 발제문] 모모

#미하엘엔데#고전#시간

1. 모모는 남녀노소를 막론하고 다른 사람의 이야기를 들어주는 특별한 재주가 있습니다. 모모처럼 여러분 자신이 생각하는 나만의 재주는 무엇인가요?

   하지만 꼬마 모모는 그 누구도 따라갈 수 없는 재주를 갖고 있었다. 그것은 바로 다른 사람의 말을 들어 주는 재주였다. (중략) 진정으로 귀를 기울여 다른 사람의 말을 들어 줄 줄 아는 사람은 아주 드물다. 더욱이 모모만큼 남의 말을 잘 들어 줄 줄 아는 사람도 없었다. <1부 모모와 친구들 中>

2. 소설 속 대도시에서의 삶과 여유없는 현대인의 삶이 비슷하다는 느낌을 지울수가 없습니다. 여러분은 미래를 위해 현재의 삶을 투자하는 쪽이신가요?
   아니면 `카르페 디엠`과 같이 현재를 즐기시는 쪽인가요?
   그리고 현재와 미래의 균형을 잡으려면 어떻게 해야할까요?

   이 곳에 사는 사람들의 삶도 꼭 그런 식으로 진행되었다. (중략) 하지만 시간을 아끼는 사이에 실제로는 전혀 다른 것을 아끼고 있다는 사실을 눈치챈 사람은 아무도 없는 것 같았다. 아무도 자신의 삶이 점점 빈곤해지고, 획일화되고, 차가워지고 있다는 것을 알아차리지 못했다. <2부 회색 신사들 中>

3. 회색 신사가 모모에게 인생에서 중요하다고 생각하는 것에 대해 위와 같이 말하고 있습니다. 회색 신사가 하는 말을 어떻게 생각하시나요?
   그리고 여러분은 자신의 인생에서 중요한 것은 무엇이라고 생각하시나요?

"인생에서 중요한 건 딱 한가지야. 뭔가를 이루고, 뭔가 중요한 인물이 되고, 뭔가를 손에 쥐는 거지. 남보다 더 많은 걸 이룬 사람, 더 중요한 인물이 된 사람, 더 많은 걸 가진 사람한테 다른 모든 것은 저절로 주어지는 거야. 이를테면 우정, 사랑, 명예 따위가 다 그렇지." <2부 회색 신사들 中>

4. 호라 박사가 모모에게 죽음에 대해 말하고 있습니다.

   여러분은 죽음을 두려워하시나요?

   죽음이 무엇이라고 생각하시나요?

   "죽음이 뭐라는 걸 알게 되면, 사람들은 더 이상 죽음을 두려워하지 않을게다. 그리고 죽음을 두려워하지 않으면, 아무도 사람들의 인생을 훔칠 수 없지."
   <2부 회색 신사들 中>

5. 3부에서는 시간의 꽃을 아주 아름답게 묘사하고 있습니다.

   여러분에게 많은 시간의 꽃이 생긴다면 이루고 싶은 일이나 하고 싶은 것이 있으신가요?

   모모는 일찍이 그토록 찬란하게 아름다운 꽃을 본 적이 없었다. 마치 빛나는 색깔로만 만들어진 꽃 같았다. 그런 색깔이 있다는 상상조차 해 본 적이 없었다. <3부 시간의 꽃 中>

6. 이 책은 1973년 독일에서 첫 출간된 이래로 47개 언어로 번역되며 전 세계에서 1000만 부 이상 판매된 베스트셀러입니다. 그 이유가 무엇이라고 생각하시나요?

'모모' 나의 별점

☆ ☆ ☆ ☆ ☆

[3월 발제문] 역사의 쓸모

#1타강사#역사#교육

최태성의 역사의 쓸모 재미있게 읽으셨나요? "역사는 삶이라는 문제에 대한 완벽한 해설서다.!"라고 써 있는 본문의 내용을 보고 역사도 어렵고, 삶도 어려운데 이건 문제도 해설도 어렵구나. 라고 생각했습니다.

1. 역사는 수많은 아무개의 작은 시간들로 빚어낸 큰 시간의 덩어리라고 합니다. 우리 역시 수많은 아무개로 살아가고 있습니다. 작은 아무개이긴 하지만 후에 나에 대해 단 한 줄 남겨 둘 말이 있다면 어떤 말을 남기고 싶으신가요?

2. 책의 제목이 "역사의 쓸모"입니다.
   책의 1장은 "쓸데없어 보이는 것의 쓸모"였습니다. 역사는 역사라는 말 부터가 미래가 아닌 지나간 것, 길고 어려운 것으로 느껴지기도 합니다.
   이 책을 읽고 각자가 생각하는 진정한 "역사의 쓸모"를 찾으셨나요? 각자가 생각하는 역사의 쓸모에 대해 이야기 해 주세요.

3. 당연하다 생각되던 것들이 당연하지 않을 때가 있었습니다. 100년 전에는 독립된 나라를 위해 시도했던 여러 가지 방법들이 실패로 돌아가 힘든 시간을 보내는 사람들이 많았습니다. 그 전에는 신분없이 평등한 사회를 만들기 위해 모든 것을 다 걸고 싸우는 사람들도 있었습니다.
   지금은 이루어질 것 같지 않지만 미래의 내가 꼭 이뤘으면 하는 희망에 대해 생각해 보고 이야기 해 주세요.(지금은 조금 허황되더라도 분명 20년뒤에는 이루어져 있을꺼예요^^)

4. '멘토' 열풍이 불었을 때가 있습니다. 멘토로 급부상해서 유명해 졌으나 다방면으로 검증되지 않은 인물이 유행처럼 인기를 얻다가 이러저러한 이유로 순식간에 몰락하는 경우도 있어서 필자는 역사 속 인물을 멘토로 삼는다고 합니다. 우리는 어릴때 부터 많은 책들과 미디어에서 위인과 유명인들을 접해 왔습니다. 롤모델이 되어 내 인생을 더 나은길 로 안내해주는 역사적 인물이 있나요? 그 멘토로 인해 더 나아진 부분도 말해주세요.

5. 집안의 노비들을 해방시키고 독립을 위해 6형제의 전 재산을 처분해 노블레스 오블리주를 실천하며 인생을 바친 이회영은 30대 청춘의 나이에 스스로에게 이렇게 물었습니다.
'한 번의 젊음을 어찌할 것인가?' 그는 죽음을 맞이한 순간에야 그 질문에 답을 할 수 있었는데, 말이 아니라 예순여섯해의 '일생'으로 답했다고 합니다.(255쪽)

당연하게 살며 누리고 있는 지금은 앞선 시대의 사람들에게 받은 선물입니다. 우리는 모두 언젠가는 죽습니다. 그리고 우리는 지금도 충분히 열심히 잘 살아가고 있습니다.
한 번뿐인 인생, 한 번뿐인 젊음(우리가 아직 젊은지는 모르지만 일단 젊다 생각하고)을 어떻게 살아갈지 고민해보고 어떤 '일생'으로 살아가고 싶은지 이야기 해 주세요.

'역사의 쓸모' 나의 별점

☆ ☆ ☆ ☆ ☆

제4장 책장을 정리하며

1. 14권의 책 중에 딱 한 권을 자녀에게 추천
   한다면, 내가 고를 책은 무엇인가요?

2. 독서의 재미를 가르쳐 준 "당신의 첫 책"은
   무엇인가요?

3. 아직 도전하지 못했지만 죽기 전에 꼭 완독
   해보고 싶은 책이 있으신가요?

4. 육아 은퇴 후 첫 여행에 당신이 챙겨 갈
   책은 무엇일까요?